Introduction

L'am...

Je c... ...nous

somm... ...a la recherche de l'amour. Plusieurs d'entre nous l'avons trouvé et perdu, et retrouvé à nouveau; rien n'est facile me direz-vous! Eh bien, je vous propose de prendre quelques instants pour lire des réflexions et des pensées qui, peut-être, vous permettront d'atteindre une nouvelle

Canada

Nous reconnaissons l'aide financière du gouvernement du Canada par l'entremise du Programme d'Aide au Développement de l'Industrie de l'Édition (PADIÉ) pour nos activités d'édition.

compréhension de l'amour, ou du moins savoir le reconnaître. Voyez-vous, la vie vous offre des multitudes d'occasions pour vous amener sur le chemin de l'amour. Même si vous êtes seul, lisez ces pensées comme si vous vous parliez à vous-même, et découvrez que l'amour commence toujours par soi.

DONC, BONNE LECTURE...

DISTRIBUTEURS EXCLUSIFS

Pour le Canada et les États-Unis
Les Messageries ADP
955, rue Amherst
Montréal (Québec) H2L 3K4
Téléphone: (514) 523-1182
Télécopieur: (514) 939-0406

Pour la Suisse
Transat S.A.
Route des Jeunes, 4 Ter
C.P. 1210
1 211 Genève 26
Téléphone: (41-22) 342-77-40
Télécopieur: (41-22) 343-46-46

Pour l'Amérique du Sud
Amikal
Santa Rosa 1840
1602 Buenos Aires, Argentine
Téléphone: (541) 795-3330
Télécopieur: (541) 796-4095

J'aime

quand tu me

serres

dans tes bras.

J'aime regarder

le coucher de soleil

en pensant à **toi**.

J'aime

prendre **mon temps** et **bien** faire les **choses**.

J'aime

l'odeur de l'eau salée

au bord de la mer.

J'aime

me rouler

sur le sable

chaud.

11

J'aime

découvrir

de nouveaux

endroits

enchanteurs

et

romantiques.

J'aime penser à ce que me **réserve l'avenir.**

J'aime

quand tu

m'embrasses

dans le

COU.

 14

J'aime

me recueillir
dans une

magnifique église et

 ressentir
la paix
de l'âme.

15

J'aime

tout ce que **tu** m'apportes,

mon

amour...

Aimer,

c'est se laisser
apprivoiser.

17

J'aime

te regarder

dormir et rêver

aux

anges.

J'aime

te faire

confiance.

J'aime

le son de ta

VOIX quand

tu me susurres

des *mots doux.*

J'aime

le murmure du **vent**

dans les **feuilles**

d'un **arbre**.

J'aime penser à toi.

J'aime **ramasser** des

coquillages
sur la **plage**.

J'aime

partir à

l'aven-
ture.

24

J'aime
planifier
des

surprises
pour toi.

J'aime

te respecter

et *te* laisser ta
liberté.

J'**aime**

ton magnifique

SOU**rire**.

Aimer, c'est **appré-cier** la vie.

J'aime

quand tu me

parles

de tes

intuitions.

J'aime le
sentiment d'avoir
été utile.

J'aime la **sensation**

de la **pluie** sur mon

visage.

J'aime les
changements
parce qu'ils
montrent
 que tout est
mouvement.

J'aime

développer
des **liens**
profonds
avec **toi**.

J'aime t'entendre

rire
rire
rire
rire
rire

J'aime

résoudre

des mystères **et**

des énigmes.

J'aime te
réconforter
quand
tu es triste.

J'aime

te démontrer ma

gratitude.

J'aime

t'attendre,

car cela **amplifie**

mon désir

de **te voir**

Aimer,

c'est renoncer à la

critique.

J'aime réaliser
mes
aspirations,

car je suis
toujours

plus près
du but.

40

Je t'aime.

J'aime rire,
car cela
me permet **de**
m'affranchir
du
quotidien.

J'aime

découvrir de

nouveaux

horizons.

J'aime le **hasard**,

car il est l'**inattendu**

attendu.

J'aime visiter les

jardins

botaniques

en ta **compagnie**.

45

J'aime **te**

connaître,

car tu m'apprends

BEAUCOUP

sur **moi**.

J'aime les moments où la

créativité

monte en moi.

47

J'aime la

sensation

merveilleuse d'un

brouillard

par une nuit de

pleine
lune.

48

Je suis un
amoureux
de l'amour.

**AIMER,
C'EST** toujours
ALLER

au-delà

des **APPARENCES.**

Par amour
pour **toi**, j'aime
éveiller

ton

espoir.

J'aime te donner la **lune** quand

cela

m'est

possible.

J'AIME

l'artiste

qui sommeille

en toi.

J'aime te

mentir quand

je te prépare **une**

surprise.

J'aime quand tu es triste,

car tu me permets de te

bercer,

de te *protéger*

et d'*apaiser*

ta peine.

J'aime **rêver**,

car dans les

rêves tout est

possible

possible

J'aime
la simplicité,
car elle
m'apprend
à vivre
pleinement.

J'aime la

solitude,

parce qu'elle me

permet de *mieux*

me **connaître**.

J'aime mes **amis**,

car **l'amitié**

est un

don **rare**.

J'aime

l'abondance

parce qu'elle me permet de

partager

encore plus.

Aimer,

c'est

toujours

garder

espoir.

J'aime quand tu as peur, cela **me permet** de me **rapprocher** de toi.

J'aime

savoir que

les *anges*

guident

mes **pas**.

J'AIME
LA VIE,

car c'est

un *jeu*

MAGNIFIQUE.

64

J'aime **Dieu**,

car je suis

une manifestation

de **Son** amour.

J'aime quand

tu m'écoutes,

car tu

possèdes

cette qualité

qui est très **rare.**

J'aime
sentir
le
parfum
suave
des fleurs.

J'aime

te prendre

dans mes bras

et te dire

«je t'aime».

J'aime
le
soleil,
car il
illumine
ma vie.

J'AIME

RESSENTIR TA GÊNE et VOIR TON SOURIRE

QUAND JE T'OFFRE UN CADEAU.

70

J'aime

croire
à
l'impossible.

Aimer, c'est **partager** son **bonheur** avec ses **amis**.

J'aime

te voir

AFFRONTER

avec *courage*

l'adversité.

73

J'aime **pardonner**,

car c'est

 **reconnaître**

que les

conflits

sont **derrière moi**.

 74

J'aime ces petits gestes **QUE TU AS POUR TOUS**, parce qu'ils prennent des proportions **GIGANTESQUES** pour **celui** ou **celle** qui en bénéficie.

J'AIME SAVOIR

que tu es

PRÈS DE MOI.

J'aime

partager

mon bonheur.

77

J'aime
la patience
que tu as pour

moi.

J'aime **ces rares moments de paix** qui, quelquefois, ARRIVENT SANS PRÉVENIR.

J'aime expérimenter

des **CHOSES**

NOUVELLES.

J'aime

prendre **des décisions,**

car

SINON LES

AUTRES

en prendront

pour moi.

J'aime te laisser

partir

en voyage

seul pour que, à ton retour,

je puisse te découvrir à nouveau.

Aimer, c'est

prendre

conscience et

S'ÉMERVEILLER

à chaque instant.

Je t'aime **tel**

que tu es.

**J'aime
te laisser
choisir
quelquefois.**

J'aimerais oublier,

ne serait-ce

qu'un instant,

que j'ai moi

aussi

des défauts.

J'aime

trouver

des

solutions

à nos

problèmes.

J'aime ton

SENS DU

DEVOIR, car tu n'as

QU'UNE

PAROLE.

J'aime

recevoir

autant que

donner.

J'aime me trouver

dans l'action,

cela me

rappelle que je suis

vivant.

J'aime t'enseigner
des choses
que tu ne sais pas.

J'AIME débattre

avec toi;

cela me démontre

que,

toi aussi,

tu as du **caractère**.

J'aime la

parce qu'elle repousse

AIMER, C'EST RÊVER ET RÊVER, C'EST AIMER.

PAR LEQUEL
DOIS-JE COMMENCER?

94

J'aime la vie

parce qu'elle

est belle.

J'aime prier, car

cela me donne

la force

nécessaire

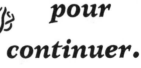

pour

continuer.

96

J'aime
le succès

parce
qu'il représente

L'INCONNU.

97

J'AIME

tout ce qui m'attire

en toi.

J'aime nos

escapades,

cela me rappelle

l'interdit.

J'aime
que tu sois
toi-même.

100

J'aime **vivre**

chaque moment comme

si **c'était**

le dernier.

J'aime **prétendre**

que je suis ton

PRINCE
CHARMANT.

J'aime
te **questionner**
sur ta
**journée
de travail**.

J'aime évoluer **EN TA COMPAGNIE** et, par-dessus tout, j'aime **le soutien que tu me donnes**.

Aimer,

c'est savoir se

laisser aimer

par les autres.

J'aime notre relation parce qu'elle me donne l'occasion d'apprendre et de transmettre.

J'aime

ta compréhension

face

à mes vagues

à l'âme.

107

J'aime t'écrire

pour te dire

ce que je ressens

au plus profond de moi.

108

J'aime
expérimenter,

car expérimenter

fait de moi

qui je suis.

J'aime

contri-buer

à ton

bonheur.

J'aime croire
aux miracles,
cela réchauffe
mon âme.

_____ 111

J'AIME PENSER
QU'UN JOUR
TOUT SERA
PARFAIT.

J'aime donner.

Ce n'est pas

tellement ce que

je donne, *mais*

l'amour avec

lequel je le donne.

J'aime partager

mes sentiments

avec toi.

J'aime **MÉDITER** et

RELAXER, cela fait

partie des joies

de la vie.

J'aime te bousculer

et me chamailler

avec toi,

parce que tu es

mon ami.

J'aime quand **je prends conscience de tout** ce que **je possède**.

J'aime
quand
tu TE
sens
important.

J'aime *être* tout

simplement *avec toi*,

parce que j'aime ta

compagnie.

J'aime

QUAND

TU AS PEUR,

car tu me demandes

de me rapprocher

de toi.

J'AIME

ton indépendance,

car elle me prouve

ton désir d'aller

encore plus loin.

J'aime

ton côté

sérieux et

responsable.

J'aime ton **humour**

parce qu'il n'est

jamais

sarcastique.

123

J'aime

te donner

ma chaleur

par un soir froid

d'hiver.

124

J'aime

m'asseoir

à tes pieds

et regarder brûler

un feu de foyer

en posant la tête

sur tes genoux.

125

J'AIME regarder

passer
la parade

avec toi.

J'aime te faire

prendre

conscience des

efforts que tu fais.

J'AIME
les nuances
DE LA VIE.

J'aime

quand tu as **l'esprit**

ouvert et que tu

écoutes mes

projets.

129

J'aime
ensemencer,
car ce que
tu sèmes,
tu le **récolteras**.

J'aime *prendre des décisions*,

même si,

quelquefois,

elles ne sont pas faciles.

J'aime que Dieu
et les anges
t'aient placé sur
mon chemin.

J'aime

m'engager

avec toi.

J'AIME

la confiance

*que tu as
en moi.*

134

J'aime **me**

souvenir de

nos bons moments

ENSEMBLE.

J'aime **certaines**

de tes frustrations,

car elles **me**

permettent

de **t'aider**.

136

J'aime
TON
INTELLIGENCE
et **TA** **VIVACITÉ**
d'esprit.

137

J'aime faire
la liste de
tes qualités.

138

Je t'aime

suffisamment pour te

laisser être

aimé par d'autres.

J'aime *la sensation d'envie* de toi quand je te retrouve *après une longue* séparation.

140

Je **T'AIME TELLEMENT** que, parfois, **J'EN PERDS LE SOUFFLE**.

J'aime
entendre
ta voix suave
qui me fait
frissonner.

J'admire
qui
tu es
et j'aime
t'admirer.

J'aime tout de toi.

144

J'aime

apprendre

avec toi.

J'aime

répéter

certains de nos

fantasmes.

J'aime **te regarder rire** et prendre **la vie** comme

elle vient.

J'aime **ta présence,** car avec toi **je sais** qu'il n'y a AUCUN JUGEMENT.

J'aime t'écouter,

tu **RACONTES**

si bien

LES HISTOIRES.

J'aime savoir

que tu seras

toujours là

pour moi.

J'aime
expérimenter
l'amour
avec toi.
avec toi.
avec toi.
avec toi.
avec toi.
avec toi.

J'aime QUE TU SACHES que je suis toujours disponible pour toi.

152

J'AIME

l'inspiration

et la *créativité*

que tu éveilles **en moi**.

J'aime **exprimer**

l'amour

que j'ai

pour la

VIE.

J'AIME

DÉVELOPPER

MON AUTONOMIE.

J'AIME
faire le bilan
DE MA
journée.

156

J'aime
chercher
le bon côté
des choses.

J'aime mon intégrité.

J'aime

persister

pour atteindre

**mes
buts**.

J'aime

prendre le temps de

regarder passer
le temps.

160

J'aime **LE PRINTEMPS** parce qu'il représente *l'éveil de* *tout*.

J'AIME

découvrir de

nouveaux

passe-
temps.

162

J'aime

être moi-même

en tout
temps.

J'aime

quand on a besoin
de moi.

164

J'aime faire
preuve de
compassion.

J'aime

mes colères

parce qu'elles

me permettent

de changer

d'attitude.

J'aime *être*

reconnaissant à

chaque jour

pour

tout ce

que j'ai.

J'aime

me reposer et
regarder
un bon film.

J'aime être
à la
recherche
de sensa-
tions
NOUVELLES.

169

J'aime

partager ma

spiritualité.

J'AIME ME PROMENER DANS LES MARCHÉS.

J'aime **l'été** parce qu'il représente **la force de la vie**.

J'AIME découvrir

DES TRÉSORS dans

les **MARCHÉS**

AUX PUCES.

J'aime

me motiver **à chaque matin**, pour que ma journée **soit meilleure**.

174

J'aime dire

merci
merci
merci
merci

à chaque fois que

l'occasion se présente.

J'AIME parler
de choses
FAVORABLES, cela
me PERMET
D'ÉVITER de
m'enliser dans CE
QUI EST FÂCHEUX.

J'AIME

les moments

de *confusion*;

ils me permettent

d'agir rapidement,

plutôt que de

laisser

traîner les choses.

J'aime **me promener** sur les **grands boulevards** et regarder **les gens**.

J'aime aller

dans les grands

MAGASINS.

J'aime
sourire aux gens
que je rencontre,
même si
je ne les **connais**
pas.

180

J'aime,

quand je

suis à

l'étranger,

goûter

aux spécialités locales.

J'aime **écouter**
la musique et ressentir
LES ÉMOIS des
COMPOSITEURS.

J'AIME
l'*automne*
parce qu'il représente
le repos
bien MÉRITÉ.

J'aime *déguster*

un

excellent

PORTO

avec des

fromages

de qualité.

184

J'AIME PARTICIPER à des retrouvailles et REVOIR DE VIEUX AMIS.

J'AIME

quand je m'affranchis

DE MES PEURS.

186

J'aime

prendre

le *risque*

d'aimer.

J'aime
quand tu
me
parles
avec
douceur.

J'aime
voyager et
faire
de nouvelles
rencontres.

189

J'aime
partir à
l'aventure.

J'AIME
DONNER
ESPOIR aux autres;
il y a toujours une
solution.

J'AIME

relever

DE

NOUVEAUX **DÉFIS**.

J'aime profiter **d'une belle journée d'automne**.

J'aime regarder
la neige tomber
à gros flocons.

J'aime avoir **le**

choix de décider

par

moi-

même.

J'aime **ton enthousiasme** à

faire les

choses.

J'aime

faire la **BONNE** CHOSE

pour la **BONNE**

RAISON.

J'aime **SOIGNER**

MON APPARENCE

pour me rendre encore

PLUS

DÉSIRABLE.

198

J'aime *me rapprocher* de la *nature* le plus souvent possible.

J'aime collectionner **des objets** hétéroclites.

200

Je m'aime de plus en plus chaque jour.

J'aime l'éternité

parce que tous ceux

que j'aime et qui

sont partis

m'y attendent.

202

J'AIME MA MAISON,

il s'y trouve une partie

 de tout **ce**

que

j'aime.

J'aime entendre

MON CHAT

RONRONNER

quand il a **besoin**

d'attention.

Conclusion

Que dire de plus en conclusion, sinon qu'elle est simple: l'amour se trouve presque partout sur votre chemin, à vous de lui ouvrir votre coeur. Souvenez-vous, ne cherchez pas le chemin menant à l'amour, l'amour est le chemin. L'amour c'est savoir apprécier par beaucoup de petits «j'aime» votre chemin de tous les jours, pour

agrémenter votre vie. Naturelle-
ment, il est plus facile de passer
votre journée à grogner sans
arrêt, critiquer tout ce qui bouge
et vivre de l'amertume. Il n'en
reste pas moins que le choix vous
appartient, tout est une question
d'attitude. À vous de choisir le
chemin tout en demeurant cons-
cient que vous êtes l'unique responsable de ce choix.

MERCI